L'univers,
ce qu'on ne sait pas encore...

CONCEPTION GRAPHIQUE ET MISE EN PAGES :
Natacha Kotlarevsky
RELECTURE : Valérie Poge

© Le Pommier 2013
ISBN : 978-2-7465-0670-1
8, rue Férou
75278 Paris Cedex 6

www.editions-lepommier.fr

sur les épaules
des savants

L'univers,
ce qu'on ne sait pas encore...

Anna Alter avec Hubert Reeves
illustré par Églantine Ceulemans

Éditions
Le Pommier

CHAPITRE **1**

L'Univers est entre tes mains...

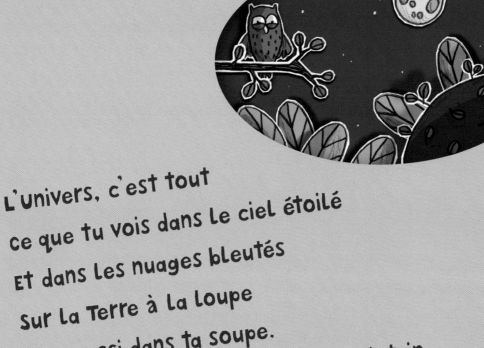

L'univers, c'est tout
Ce que tu vois dans le ciel étoilé
Et dans les nuages bleutés
Sur la Terre à la loupe
Mais aussi dans ta soupe.
Il n'est pas seulement dans le lointain
Il se trouve aussi au creux de ta main.
Et il reste beaucoup de travail à faire
Pour résoudre ces grands mystères...

L'univers, c'est tout, et tout dans l'Univers pose problème, même ce qui paraît évident au premier regard. **Chaque réponse à une question amène de nouvelles interrogations** qui s'emboîtent les unes dans les autres comme des poupées russes. La liste de ce qui reste à découvrir est longue et elle va sans doute encore s'agrandir.

Ce que tu vois dans le ciel étoilé et ce que tu ne vois pas, tout, absolument tout est Univers... Objets célestes, objets terrestres, objets inanimés, êtres vivants en sont des morceaux plus ou moins grands mais tous importants. **Les apparences sont trompeuses. Les étoiles qui brillent le plus ne sont pas forcément les plus grosses.** Certaines, plus proches de nous, apparaissent scintillantes dans leur habit de lumière la nuit. D'autres sont tellement éloignées qu'il est impossible de les voir à l'œil nu ou même avec un puissant télescope !

Et dans les nuages bleutés, ou en deçà et au-delà, ce que tu observes à tes pieds ou en levant le nez, c'est l'Univers. La terre, la mer, le soleil, les planètes, les étoiles en font partie. **Loin d'être le centre du monde, nous sommes perdus dans un petit coin de la Voie lactée, un grand ensemble de quelques centaines de milliards d'étoiles.** Et des énormes tas d'étoiles comme ça, il y en a à perte de vue. On appelle aussi notre Voie lactée : « Galaxie », avec un grand « G » ; les autres galaxies n'ont qu'un petit « g ». Beaucoup de ces galaxies sont trop peu brillantes pour qu'on puisse les voir, mais on estime qu'il en existe une centaine de milliards...

Sur la Terre à la loupe, les microbes sont de microscopiques portions d'Univers. Les oiseaux, les souris, les chats qui les mangent et les chiens qui aboient dessus, aussi. De même que les montagnes silencieuses et les volcans qui entrent en éruption, les plages avec leurs coquillages et les océans qui font des vagues, le ciel et les nuages qui font la pluie et le beau temps. Toi, ta maman, ton papa, ta maîtresse ou ton maître, vous en êtes les représentants.

Mais aussi dans ta soupe tu trouves des petits morceaux d'Univers. En la mangeant, tu deviendras grande ou grand. Et tu voudras certainement comprendre la marche du monde. La Terre entière qui nous paraît immense n'est en fait qu'un minuscule caillou qui tourne autour du Soleil, une étoile de taille moyenne de notre Galaxie, dont il reste beaucoup à apprendre. **Si tu aimes les mathématiques, tu voudras peut-être aussi apporter ton grain de sel.** Il y a tant de choses encore à découvrir…

Il n'est pas seulement dans le lointain,

tu en fais partie et tu lui appartiens.

Il se trouve aussi au creux de ta main, et tu peux apprendre à connaître l'Univers. Tu es capable d'absorber des connaissances et, plus tard, tu voudras peut-être te lancer dans la grande aventure de la science qui remet sans cesse le monde en question.

Et il reste beaucoup de travail à faire…

On ne sait pas s'il existe d'autres planètes habitées.

On ne sait pas si nous sommes seuls ou s'il y a quelque part ailleurs, sous un autre Soleil, des gens intelligents comme toi et ta grande sœur ou ton petit frère.

On ne sait pas comment des poussières d'étoiles se sont organisées pour donner la vie à des enfants sages comme des images ou très turbulents, et à des papas et des mamans.

On ne sait pas si notre Système solaire est un modèle universel ou une exception.

On ne sait pas ce qu'est la masse fantôme qui fait danser les galaxies... et mène le bal.

On ne sait pas pourquoi l'eau est unique dans ses réactions : quand on la refroidit elle devient subitement plus légère en dessous de 4 °C, et elle se change en glace ou en glaçons au-dessous de zéro.

La science avance à petits pas. Parfois elle fait des bonds de géant, parfois elle trébuche et s'enlise.

Pour résoudre ces grands mystères, il reste du chemin à faire. Ce que l'on sait n'est que l'arbre qui cache une immense forêt d'ignorance. Il y a, par exemple, beaucoup de « trous noirs », des astres qui, comme l'ogre dans le conte du Petit Poucet, mangent tout, même leur propre lumière, ce qui explique qu'on ne les ait jamais vus et qu'on ne les connaisse que très mal. Les pieds sur la Terre, le nez dans les étoiles, Hubert Reeves a étudié l'Univers lointain et il te fait la courte échelle pour que tu puisses voir loin, très loin dans l'inconnu. Quand tu seras grande ou grand, tu réussiras peut-être à garder, comme lui sous sa barbe blanche, ta curiosité d'enfant et tu deviendras chercheur professionnel ou amateur éclairé qui suit de près les questions ouvertes posées devant toi dans ce livre.

Tu es une poussière d'étoiles qui a besoin de comprendre le monde qui t'entoure. Peut-être que plus tard toi aussi tu trouveras ta route en laissant tomber derrière toi des petites graines de savoir...

Qui est Hubert Reeves ?

Hubert Reeves n'a pas toujours eu une barbe blanche. Quand il était petit, il habitait au Canada. Là-bas, les hivers sont très froids. Un jour, son papa a rapporté à la maison une encyclopédie pour les enfants. Et c'est en feuilletant ce livre qu'il a eu envie d'explorer le monde et le cosmos. Quand il était au collège, il s'est fabriqué un télescope pour observer Saturne. Et, de fil en aiguille, il a tout fait pour devenir astrophysicien, un métier et une passion qui consistent à essayer de comprendre la marche de l'Univers. De brillantes études lui ont permis de mieux comprendre le fonctionnement de ce ciel noir piqueté d'étoiles. Il est ensuite venu en Europe pour enseigner ce qu'il savait mais aussi pour faire de la recherche à l'Observatoire de Paris. Puis, à son tour, il a écrit des livres. Il sait raconter comme personne les débuts de l'Univers, comment celui-ci a grandi et s'est rempli d'étoiles, de galaxies, d'amas de galaxies, de trous noirs. Pour explorer l'inexploré, tu ne peux pas rêver meilleur guide et, si tu le suis, au fil des pages tu comprendras combien il te reste de choses à découvrir...◆

Toutes les for
naissons ont b
sons-nous tout
Nous n'avons qu
vux et nous ne p
définitives

VÉNUS

CHAPITRE 2

Vénus et la Terre, deux planètes opposées, sans raison ?

L'une s'appelle Vénus, l'autre c'est la Terre,
Les deux appartiennent au Système solaire.
L'une est notre voisine,
Elle n'a pas bonne mine
Tandis que notre planète bleue
Pétille de vie et pète le feu.
Nées en même temps
Il y a très longtemps
Les deux ont des atouts
Mais pour Vénus, c'est fou,
Alors que la vie se développe sur la Terre,
elle devient très vite un redoutable enfer.
L'histoire de ces deux planètes sœurs
c'est une question qui nous tient à cœur...

L'une s'appelle Vénus, l'autre c'est la Terre,
et l'on n'arrive pas à savoir ni pourquoi ni comment ces deux planètes
ont pu évoluer aussi différemment...

Les deux appartiennent au Système solaire
qui compte huit planètes, ou neuf si l'on admet Pluton
dans le cercle comme on l'a fait pendant des années. Vénus est

la deuxième, la Terre la troisième en partant du Soleil.
Au départ elles se ressemblaient comme des sœurs jumelles :
même taille, même masse, même gravité, même caractère volcanique
ou presque.

L'une est notre voisine, et plusieurs vaisseaux spatiaux
lui ont rendu visite. En 1962, la sonde Mariner 2 a relevé sa température,
qui est bizarrement élevée. Des engins automatiques soviétiques, les Venera,
ont mesuré la vitesse de ses vents et ont expédié de là-bas des photos
de ses paysages rocheux. L'orbiteur américain Pioneer Venus a vu,
en regardant par-dessus son pôle, sa calotte. La sonde Magellan a découvert
des volcans cachés derrière son épaisse atmosphère. Dans les années 2000,
les Européens et les Japonais ont, à leur tour, envoyé des appareils sur place.
Tous ceux qui ont étudié Vénus de près ou de loin sont unanimes...

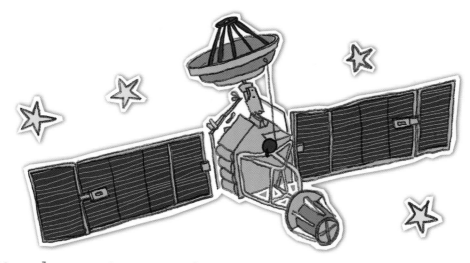

Elle n'a pas bonne mine, battue par des vents violents,
sa peau est sèche, archisèche, et sa température approche
les 500 °C, alors que celle de la Terre est de 15 °C en moyenne.
La différence d'ensoleillement ne peut vraisemblablement pas être
la seule cause de ce grand écart. Alors, pourquoi est-elle devenue
totalement invivable ?

Tandis que notre planète bleue a l'eau courante, une atmosphère agréable, une température idéale et tout le confort indispensable pour être habitable. À peine formée, la Terre a commencé à se peupler. D'abord des organismes simples apparaissent au fond des océans, puis, petit à petit, ils deviennent plus compliqués et plus gourmands en énergie. À l'étroit chez leur vieille mer, certains finissent par sortir la tête de l'eau. Plantes et animaux prennent racine sur le sol ferme.

Elle pétille de vie et pète le feu, notre Terre. Vénus, située presque à la même distance du soleil, n'a pas d'océans, pas de rivières, pas la moindre petite goutte d'eau ! **Pourquoi s'est-elle retrouvée complètement à sec ?** Est-ce qu'elle n'a jamais eu de liquide ou est-ce la conséquence d'un réchauffement climatique ? **A-t-elle été sans vie dès le début ?** Ou la vie a-t-elle été cuite tout de suite ?

Nées en même temps, il y a quelque 4,5 milliards d'années, la Terre et Vénus n'ont pas arrêté de bouger et de changer. Elles tournent toutes les deux autour du Soleil et sur elles-mêmes. Chez notre voisine, l'année est relativement courte, elle dure à peine 225 jours contre 365 jours et des poussières chez nous. Mais, là-bas, les journées sont interminables : Vénus tourne sur elle-même en 243 jours dans le sens des aiguilles d'une montre alors que la Terre accomplit un tour complet en vingt-quatre heures, dans le sens inverse des aiguilles d'une montre comme la majorité des planètes. Et l'on ignore pourquoi Vénus tourne sur elle-même à l'envers, et avec une telle lenteur que ses années sont plus courtes que ses jours.

Il y a très longtemps, on ne sait trop comment, Vénus a acquis une atmosphère épaisse qui a été déterminante pour son avenir. Elle en tient une sacrée couche.

Les deux ont des atouts pour réussir dans la vie. Mais en chauffant à bloc notre voisine a tout gâché. Non seulement son climat est devenu intenable, mais la pression au niveau du sol est écrasante, cent fois supérieure à celle que nous connaissons sur notre planète.

Mais pour Vénus, c'est fou : elle se retrouve en moins de quelques centaines de millions d'années sans eau potable au sol et avec des gouttelettes d'acide sulfurique suspendues dans ses nuages. On n'arrive pas à comprendre comment elle s'est dotée de cette atmosphère épaisse et empoisonnante.

Alors que la vie se développe sur la Terre et que des êtres vivants s'installent dans tous les endroits possibles, même les plus difficiles : au fond des océans, autour des sources chaudes, dans les montagnes escarpées et partout où il y a de l'eau.

Elle devient très vite un redoutable enfer, secouée par la fièvre et des vents d'une violence inouïe. Comment notre voisine Vénus en est-elle arrivée-là ? Mystère.

L'histoire de ces deux planètes sœurs
est compliquée, et personne n'arrive à s'expliquer pourquoi
elles ont évolué de façon aussi opposée.

C'est une question qui nous tient à cœur.
Nous avons une peur bleue que notre planète ne devienne
comme elle. Le gaz carbonique est en partie responsable
de sa très haute température. Or, les cheminées d'usines
et les tuyaux d'échappements dégagent des quantités énormes
de ce gaz qui retient la chaleur et provoque l'effet de serre
qui risque de fiche toute la vie en l'air. Comprendre comment
notre voisine s'est transformée en enfer nous permettrait
peut-être d'éviter de commettre certaines erreurs...

Hubert Reeves :

Pourquoi l'une a-t-elle de la vie et l'autre pas ? Pourquoi Vénus est-elle une fournaise et la Terre tempérée ? Notre voisine n'a pas d'eau, pas de sédimentation, pas de pierre capable de piéger le carbone. Elle est plus proche du Soleil, ce qui a dû jouer, mais cette proximité n'explique pas tout. On se demande toujours pourquoi elle a évolué de façon aussi radicale. ◆

CHAPITRE 3

Pourquoi l'Univers contient-il de la matière ?

Au commencement tout l'univers
N'était qu'un océan de Lumière.
Il n'y avait ni galaxies, ni toutes ces étoiles,
Ni ces planètes qui peu à peu se dévoilent
Pas de filles, pas de garçons
Pour se poser des questions.
Tout aurait commencé par une explosion
Mais on se demande encore de quelle façon.
Et Pourquoi l'univers
contient-il de la matière
Plutôt qu'uniquement de la Lumière ?
Il a suffi d'une petite majorité
Pour tout faire basculer...

Au commencement tout l'univers était en bouillie.
Il était rempli d'une lumière brûlante...

Ce n'était qu'un océan de Lumière. Les liquides
qui mouillent, les gaz qui se respirent, les solides durs
de durs, tout ça, c'est la matière faite de protons, de neutrons,
d'électrons, et tous ces éléments n'existaient pas.

Il n'y avait ni galaxies ni toutes ces étoiles

après le big bang, et ce n'est qu'au bout de quelques millions d'années qu'elles se sont formées, on ne sait pas trop comment. Est-ce que ce sont d'abord les étoiles qui ont vu le jour avant de se regrouper en énormes tas ? Ou au contraire des blocs géants qui se sont cassés pour donner naissance à des étoiles ? L'énigme reste entière. L'histoire de notre Voie lactée débute lorsque s'allument les premières étoiles, il y a quelque douze milliards d'années.

De leur temps, il n'y avait pas de Soleil...

Ni ces planètes qui peu à peu se dévoilent.

Jusqu'en 1995, on ne connaissait que les planètes qui tournent autour du Soleil. Mais depuis on ne cesse d'en découvrir de nouvelles autour d'autres étoiles.

Pas de filles, pas de garçons...

Nous devons tous une fière chandelle aux étoiles. Ce sont elles qui produisent le carbone dont nous sommes tous faits. Nous en avons dans notre peau, nos os, notre cerveau.

Pour se poser des questions,

il a fallu que des atomes s'assemblent de façon intelligente sur une petite planète bleue tournant autour d'une étoile, le Soleil. Loin d'être le centre du monde, notre Soleil est mis au piquet dans un coin de la Voie lactée, perdu au milieu des milliards d'étoiles que compte notre galaxie. Il a fallu du temps, beaucoup de temps et un sacré concours de circonstances pour aboutir à l'Univers tel qu'il est, il nous plaît, il nous fait de l'effet.

Tout aurait commencé par une explosion, il y a environ quinze milliards d'années. On n'est pas très sûr de la date de naissance de l'Univers. Il est très difficile de lui donner un âge. Certains le croient jeune, d'autres beaucoup plus vieux ; ce qui est sûr, c'est que l'Univers ne peut pas être plus récent que ses plus anciens objets célestes. Les étoiles ont aujourd'hui une existence très brillante, mais tout a commencé dans la confusion générale.

Mais on se demande encore de quelle façon. L'état dans lequel se trouvait l'Univers à l'époque est indescriptible : nous n'avons pas les outils pour comprendre des conditions physiques aussi extrêmes. Le « big bang » ou « grand boum » est la reine des théories, selon Hubert Reeves. Mais elle doit être évidemment complétée et en permanence remaniée en fonction des nouvelles observations.

Et Pourquoi l'Univers est devenu ce qu'il est. On pense que des particules et des antiparticules flottaient dans l'océan de lumière. Toutes les particules de matière étaient accompagnées de leur double d'antimatière, parce qu'aucune particule ne peut sortir de la lumière sans son antiparticule. Inversement, dès qu'une particule rencontrait son antiparticule, les deux disparaissaient en laissant derrière elles de la lumière...

Quand un électron rencontrait un antiélectron, pfft... ! ils redevenaient lumière...

Quand un proton croisait un antiproton, pfutt... ! ils s'effaçaient...

Quand un neutron se retrouvait face à un antineutron, pschitt... ! ils s'évanouissaient...

On dit qu'ils s'annihilaient, et, comme ils étaient serrés les uns contre les autres, ils n'arrêtaient pas de se cogner, de disparaître, de réapparaître, de s'éclipser à nouveau.

Progressivement, la soupe extrêmement épaisse s'est diluée, et, lorsqu'elle a été assez froide, les particules ont pu constituer des atomes avec lesquels ont été modelées les premières étoiles. En explosant, ces très vieilles étoiles ont recraché tout ce qu'elles avaient dans le ventre et ont fourni des matériaux pour fabriquer des planètes à la pelle, et la vie sur au moins l'une d'entre elles. Avant, on ne trouvait pas d'atomes assez lourds pour cela. Nous sommes tous des poussières d'étoiles et l'Univers...

L'Univers **contient de la matière** composée d'atomes, eux-mêmes faits de protons, de neutrons, d'électrons. Des particules élémentaires si petites qu'on ne les voit pas au microscope. Il n'y a pas si longtemps, on ignorait même leur existence. Les électrons n'ont été découverts qu'à la fin du XIXe siècle, les protons et les neutrons au début du XXe siècle. Il y a des objets célestes partout...

Plutôt qu'uniquement de la lumière.

Mais on se demande bien pourquoi il existe des étoiles ainsi que des énormes tas d'étoiles que l'on appelle « galaxies » et des petites planètes avec, sur au moins l'une d'entre elles, de la vie. D'après les astrophysiciens, il s'en est fallu de peu pour que l'Univers que nous avons devant les yeux ne contienne pas le moindre milligramme de matière...

Il a suffi d'une petite majorité

pour que les particules remportent la mise.

Pour tout faire basculer, d'après les calculs, il a fallu qu'à un instant il y ait eu un milliard de particules plus une d'un côté et un milliard d'antiparticules de l'autre. Pourquoi cette différence ? D'où est venu ce renfort qui a permis à la matière de gagner la bataille ? Comment a été produit ce petit « plus » qui a tout bouleversé ? Ces questions n'ont pas encore de réponses satisfaisantes.

Hubert Reeves : Au départ, l'Univers était fait de matière et d'antimatière, et c'est un petit excédent de particules de matière qui, en se retrouvant sans partenaire, a permis à notre monde de voir le jour avec beaucoup d'objets célestes dedans. Quels sont les phénomènes qui ont permis à cette faible majorité de persister ? Et de s'organiser de façon de plus en plus compliquée pour former tout ce qui nous entoure, et la vie en particulier ? Pourquoi y a-t-il eu ce petit surplus auquel nous devons notre existence ? Comment des poussières d'étoiles ont-elles pu s'associer pour bâtir des êtres aussi différents que toi, ta petite sœurette, le grand frère qui fait la tête, les mouches qui t'embêtent et les oiseaux qui volettent ? Ce sont ces questions qui restent en suspens. Nous avons encore beaucoup de chemin à parcourir pour comprendre l'enchaînement compliqué par lequel de simples particules ont réussi en formant des atomes à construire ce monde qui nous éblouit et nous interroge. ◆

CHAPITRE 4

Comment les galaxies ont-elles attrapé la bougeotte ?

Les astrophysiciens notent
Que les galaxies ont la bougeotte.
Entraînées dans un mouvement général
Elles fuient en emportant leurs étoiles.
Plus elles se trouvent loin de nous
Plus elles vont vite, et ce n'est pas tout !
En les observant avec beaucoup d'attention
Les astronomes voient que ça ne tourne pas rond.
Une matière invisible a le don
De tout faire bouger à sa façon...

Les astrophysiciens notent qu'au-delà de la Voie lactée il existe des centaines de millions d'autres galaxies. Certaines sont ovales, d'autres spirales, et chacune regroupe des milliards d'étoiles.

Que les galaxies ont la bougeotte!

Elles ne tiennent pas en place ; elles tournent non seulement sur elles-mêmes, mais se déplacent aussi les unes par rapport aux autres. On dit que depuis la nuit des temps les galaxies se fuient mutuellement.

Entraînées dans un mouvement général, les galaxies avancent en petits groupes ou en immenses troupeaux.

ELLes fuient en emportant Leurs étoiLes. Dans les années 1920, l'Américain Edwin Hubble a découvert qu'au-delà de la Voie lactée il y avait beaucoup d'autres galaxies et il a aussi remarqué leur fuite.

PLus eLLes Se trouvent Loin de nous, plus elles nous fuient vite.

PLus eLLes vont vite, et ce n'est pas tout.
Elles bougent aussi à l'intérieur du troupeau, comme si quelque chose les perturbait...

En Les observant avec beaucoup d'attention, très vite, le Suisse Fritz Zwicky s'est aperçu que, lorsque les galaxies se retrouvaient dans un groupe, il y avait comme un problème. Mais c'est quoi, le problème ?

Les astronomes voient que ça ne tourne pas rond :
pour rester dans la course, les galaxies auraient dû se déplacer à une certaine cadence. Mais elles ne le font pas toujours et donnent plutôt l'impression d'être accompagnées par une matière invisible qui accélère leur mouvement.

Elles semblent attirées par cette masse sombre, une masse fantôme qui hante l'Univers...

Une matière invisible a le don de faire la loi dans les troupeaux de galaxies et sème la pagaille. La partie visible de l'Univers est composée de galaxies, d'étoiles, de planètes, de poussières, mais, on a beau chercher, personne n'a d'idées lumineuses pour expliquer à quoi ressemble sa face obscure. De quoi est faite sa partie cachée ? Quelle est la nature de la matière invisible ? Comment s'est-elle formée ? Où se trouve-t-elle exactement ? Autant de questions sur lesquelles depuis plus de cinquante ans les astrophysiciens s'arrachent les cheveux. La seule chose que l'on sait d'elle c'est qu'elle n'est pas faite comme nous de protons, de neutrons et d'électrons.

De tout faire bouger à sa façon sans se faire voir, c'est un sacré tour de force. La matière sombre agit à distance par le biais de la gravitation. Elle secoue les galaxies, les attire, modifie leur vitesse et les fait valser dans l'espace.
Les astrophysiciens observent les mouvements d'ensemble et les déplacements individuels, et concluent que ce qu'ils voient ne représente qu'une infime partie de l'Univers. L'essentiel est invisible pour les yeux et les télescopes.

Hubert Reeves : La masse sombre est « hors jeu ». Elle n'est pas faite comme tout le monde. Elle n'est pas composée, comme toi et tes copains, d'atomes, et encore moins de cellules. On sait ce qu'elle n'est pas, mais on ignore ce qu'elle est. Tout ce qu'on voit, c'est qu'elle mène la danse... Elle gouverne par son attraction et exerce une influence cinq fois plus grande que la matière ordinaire dans l'Univers. D'après les calculs, plus de 90 % de sa masse nous échappent : planètes, étoiles, galaxies sont une minorité visible, mais l'immense majorité reste ignorée... ◆

CHAPITRE 5

Où naissent les étoiles ?

Les étoiles sont tellement loin
On les voit comme des points.
Ce sont des soleils lointains
Dont on ne sait presque rien.
Aucune n'est vraiment pareille
Sans yeux ni oreilles
Toutes parentes
Toutes différentes.
Comme nous, les étoiles naissent, vivent et meurent
On sait presque comment...

Les étoiles sont tellement loin que leur lumière met des années à nous parvenir. La plus proche s'appelle Proxima du Centaure. Elle n'est pas visible de chez nous. Pour la voir, il faut aller de l'autre côté de la Terre, dans l'hémisphère Sud. Sa lumière voyage plus de quatre ans avant d'arriver jusqu'à notre planète. En 2002, on a réussi à prendre pour la première fois ses mesures. C'est une naine rouge, sept fois plus petite que notre Soleil qui n'est déjà pas bien gros mais si proche de nous qu'il dessine un énorme ballon dans le ciel. Il existe des tas d'étoiles beaucoup plus grandes que lui, mais elles sont tellement éloignées qu'elles paraissent aussi petites que des têtes d'épingle.

On les voit comme des points,

tu peux le vérifier en levant les yeux la nuit. Les petits brillants qui scintillent sur la voûte céleste sont des étoiles. Si tu regardes bien, tu verras que certaines sont rougeâtres, d'autres bleutées. La couleur dépend de la température. À l'inverse des robinets de ta salle de bains, les étoiles chaudes sont bleues, les froides sont rouges. Entre les deux, il y a des blanches, mais aussi des jaunes comme le Soleil. Et des orangées.

Ce sont des soleils lointains,

que l'on ne connaît pas très bien. À l'œil nu, toutes les étoiles semblent situées à la même distance, immobiles les unes par rapport aux autres. Faux, archifaux : toutes les petites graines brillantes plantées dans le ciel sont des boules de gaz géantes qui bougent et changent sans arrêt.

Dont on ne sait presque rien,

à peine deux ou trois choses que l'on a apprises au cours des siècles. Pour se repérer dans le champ des étoiles, nos ancêtres les ont regroupées en constellations. Depuis, les astronomes les ont rangées dans des catalogues en fonction de leur position, de leur luminosité, de leur couleur.

Aucune n'est vraiment pareille,

et ce n'est pas demain la veille qu'on les aura toutes classées. Rien que dans notre Galaxie, elles sont plus de deux cents milliards, et des galaxies comme la nôtre, il y en a à perte de vue. Une étoile appartient à une galaxie comme l'abeille appartient à une ruche, et il y a beaucoup de ruches, au moins cent milliards...

Sans yeux ni oreilles, elles sont à peu près rondes, et les plus brillantes ne sont pas forcément les plus grosses pour de vrai. Les proches moyennes brillent autant que les énormes lointaines.

Toutes parentes, les étoiles que l'on voit dans le ciel appartiennent toutes à notre famille, la Voie lactée, notre Galaxie avec un grand « G »... Respect ! Si certaines brillent davantage, c'est soit parce qu'elles sont proches de la Terre, soit parce qu'elles sont très lumineuses par elles-mêmes. Les apparences, ça trompe énormément.

Toutes différentes, et l'analyse de leur lumière avec des instruments spéciaux permet de mettre en évidence leurs propriétés, de connaître leur volume, leur composition, leur champ magnétique, la vitesse de leurs mouvements et d'en déduire leur âge. Les unes sont jeunes et brillantes, d'autres vieilles et rougissantes.

comme nous, les étoiles naissent, vivent et meurent. Elles brillent pendant des millions ou des milliards d'années, tout dépend de leur masse. Les grosses, qui dépensent beaucoup d'énergie, explosent plus vite tandis que les petites économes s'éteignent doucement.

On sait presque comment les étoiles se forment dans les nuages de gaz et de poussières. Pour une raison ou une autre, un de ces nuages subitement se contracte et se met en boule. En se recroquevillant, il devient de plus en plus chaud au centre et commence à briller. Quand la température de son cœur dépasse dix millions de degrés, des phénomènes nucléaires se déclenchent : une étoile est née. La suite de l'histoire est assez claire, mais on ne sait que très peu de choses sur les mécanismes de formation de ces gros nuages de gaz et de poussières dans les galaxies. On ne sait pas plus pourquoi des étoiles énormes peuvent voir le jour, ni comment ou pourquoi apparaissent les champs magnétiques.

Hubert Reeves :

Le problème de la formation des étoiles et des galaxies n'est pas complètement résolu. C'est un sujet de litige. Pour en savoir plus, on attend de jeunes observateurs qui participeront à la construction de télescopes géants et d'instruments performants. On a aussi besoin de théoriciens pour bâtir des modèles qui tiennent debout. Ils devront apporter un nouvel éclairage sur la naissance et la vie d'une étoile. ◆

CHAPITRE 6

Comment est né le Système solaire ?

Loin du centre chaud de La Galaxie

Dans un coin obscur de sa périphérie

Une étoile est née, coiffée d'un immense disque sombre

Dans lequel se forment des astéroïdes en grand nombre.

Poussières et cailloux s'agglomèrent

Jusqu'à former d'énormes sphères

Qui tournent toutes autour du Soleil

Aucune n'étant à une autre pareille

Pas la même composition

Ni les mêmes dispositions.

Et relégué tout au fond

Un p'tit dernier, Pluton,

Qui de planète n'a plus le nom.

Loin du centre chaud de La Galaxie, dans un coin tranquille de la Voie lactée, loge le Soleil avec sa famille nombreuse de planètes depuis des milliards d'années.
Pas de risque d'être dérangé par le voisinage, les étoiles les plus proches sont suffisamment éloignées pour ne pas perturber le calme intersidéral.

Dans un coin obscur de sa périphérie, alors qu'au centre de la Galaxie se pressent beaucoup plus d'étoiles. C'est donc dans une banlieue paisible de la Voie lactée que le Soleil et ses planètes sont nés dans un immense nuage de gaz et de poussières. Sous sa propre gravité, ce nuage s'est effondré. Et son cœur s'est progressivement réchauffé.

Une étoile est née, coiffée d'un immense disque sombre.

Cette étoile, c'est notre Soleil. Dès que son cœur est devenu brûlant, il a commencé à briller. Les poussières tournaient autour de lui comme des mouches. Elles formaient autour de sa taille un énorme nuage sombre...

Dans lequel se forment des astéroïdes en grand nombre. Le nuage qui donne naissance à notre Soleil laisse derrière lui une multitude de débris qui en tournant s'assemblent. Les fragments s'entrechoquent, s'unissent, s'agglutinent et finissent par constituer des noyaux durs.

Poussières et cailloux s'agglomèrent.

Les morceaux plus gros attirent davantage de matières. Les petits corps célestes deviennent grands. De plus en plus ronds, ils continuent à balayer l'espace en ramassant tout ce qui traîne. Ils font le ménage autour d'eux...

Jusqu'à former d'énormes sphères

dont huit deviendront des planètes dignes de ce nom. Comment exactement ? Mystère et boule de gomme

Qui tournent toutes autour du Soleil, lequel en chauffant

devient de plus en plus brillant. Quand la température de son cœur dépasse les dix millions de degrés, des phénomènes nucléaires se déclenchent, comme dans n'importe quelle étoile. On sait maintenant que les étoiles sont souvent accompagnées d'un cortège de planètes. Lui en a huit plus ou moins grosses, et un tas de petites. Il fournit la lumière ainsi que le chauffage à toute sa petite famille.

Aucune n'est à une autre pareille,

toutes les planètes sont différentes. Elles s'appellent, dans l'ordre, en partant du Soleil : Mercure, Vénus, la Terre, Mars, Jupiter, Saturne, Uranus, Neptune. Toutes appartiennent au Système solaire. Notre planète bleue sort nettement du lot : jusqu'à nouvel ordre, elle est la seule à avoir une atmosphère respirable et de la vie.

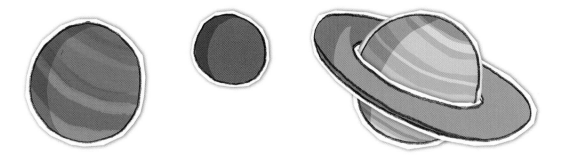

Pas la même composition : les planètes proches du Soleil sont toutes tassées et tannées, les plus lointaines sont gonflées d'hydrogène et d'hélium. Mercure, Vénus, la Terre et Mars, c'est la bande des quatre « telluriques » à la peau dure, rocheuse et cabossée, avec des montagnes, des vallées, des cratères et des paysages creusés par le temps, les vents, les bombardements de météorites. Jupiter, Saturne, Uranus et Neptune sont les géantes, qu'on dit « gazeuses », mais en réalité ce sont des boules de roches et de glaces enveloppées dans d'épaisses couches de gaz. Les bandeaux de couleurs à leur surface sont des ceintures de nuages, placées à différentes hauteurs. Et les taches sont probablement liées à des cyclones, phénomènes météorologiques de grande dimension. On ne connaît pas bien les raisons de leur profonde agitation ni quels problèmes elles cachent, au fond...

Ni les mêmes dispositions : chaque planète se tient à une certaine distance du Soleil et tourne à son rythme autour de lui, en même temps que sur elle-même. Les proches parcourent leur orbite rapidement, les lointaines lentement. Parmi les « géantes », Jupiter est la plus grosse, Saturne arbore les plus beaux anneaux, Uranus se pare d'une jolie couleur vert d'eau et Neptune, toute bleue, a une tache sombre sous la ceinture. Toutes ces grosses planètes portent autour de leur lourde taille des anneaux dont on n'a pas encore déterminé l'origine, ni la composition exacte, ni comment ils arrivent à se maintenir en place.

Et relégué tout au fond, on trouve Pluton, petit corps céleste frigorifié, seulement découvert au siècle dernier. On lui a tout de suite décerné le titre de « neuvième planète », et l'on a observé qu'il a un compagnon nommé « Charon ».

Un p'tit dernier, Pluton, plus on le regarde, plus il paraît petit... Les dernières mesures sont formelles : lui et son compagnon n'ont pas la bonne taille pour figurer dans le cortège des « vraies planètes ». On l'a classé dans les « planètes naines », mais, même là, il n'occupe que la deuxième place en taille puisque Éris, découverte en 2003, est légèrement plus grande que lui.

Qui de planète n'a plus le nom : des petits corps célestes comme Pluton et Éris, il y en a plein au fin fond du Système solaire. On ne sait pas encore combien.

Hubert Reeves :

Nous avons découvert récemment que les planètes ne restent pas éternellement sur la même orbite. Certaines migrent vers le centre (le Soleil), d'autres sont éjectées du Système solaire. Ce que nous voyons aujourd'hui est le résultat d'une sorte de ballet. Il est probable que des planètes aient été avalées par le Soleil et que d'autres se soient perdues dans l'espace. On ne sait pas combien sont tombées, combien sont parties, ni même combien elles étaient au départ ! Nous n'avons pas de scénario crédible de la formation et de l'évolution du Système solaire. On sait ce qu'on voit aujourd'hui, mais on ne sait pas reconstituer le passé. On ignore même comment de grosses planètes ont pu se maintenir à distance du Soleil. En migrant, elles auraient certainement dû entraîner les petites... ◆

CHAPITRE 7

Comment est apparue la vie sur Terre ?

La Terre semble la seule planète à avoir de la vie

Sous l'eau, à sa surface et dans tous ses replis.

L'histoire commence, il y a très, très longtemps.

Ni trop proche, ni trop éloignée du Soleil brûlant,

Ni trop chaude, ni trop froide, ni trop précaire,

Notre planète bleue a tout le confort nécessaire

Disposant en plus de l'eau courante

Pour héberger des espèces vivantes

De la minuscule bactérie aux baobabs géants

En passant par le kangourou, le chien, le serpent.

Tout le monde y trouve son contentement

Mais on ne s'explique pas comment

Les vivants ont pu évoluer cependant.

La vie sur la Terre

c'est un vrai mystère...

La Terre semble la seule planète à avoir de la vie. Parmi les huit planètes dignes de ce nom, elle seule semble avoir des conditions favorables. Tous les êtres vivants que l'on connaît ont besoin d'eau, c'est un élément vital. Or, sur Mercure et Vénus, il fait une chaleur

d'enfer, et elles ont été incapables de garder de l'eau. Mars a eu du liquide au début, et on envoie des appareils automatiques creuser son sol pour chercher des traces de vie. Quant à Jupiter, Saturne, Uranus, Neptune, on voit mal comment des êtres vivants auraient pu s'y développer, mais soyons prudents. On ne sait jamais.

Sous l'eau, à sa surface et dans tous ses replis,
notre planète grouille de vie. Mais elle a commencé petit, petit. Complètement démunis, les premiers organismes n'avaient qu'une seule cellule sur le dos...

L'histoire commence, il y a très, très longtemps,
voilà environ trois milliards d'années. Possiblement au fond des océans, près des cheminées des volcans sous-marins, de petites molécules s'unissent pour former des chaînes qui, on ne sait toujours pas par quel mécanisme, se transforment en cellules vivantes.

Ni trop proche, ni trop éloignée du Soleil brûlant,
la Terre possède de l'eau, un excellent solvant qui permet aux molécules de se rencontrer et de s'associer pour former les premiers organismes.

Ni trop chaude, ni trop froide, ni trop précaire,

mais encore fallait-il qu'elle ait un peu d'oxygène dans l'air.
Au début, l'atmosphère de la Terre était parfaitement irrespirable,
et des cailloux, petits mais aussi très gros, n'arrêtaient pas de tomber
du ciel. Pendant environ deux milliards d'années, la vie a donc
dû s'abriter sous des nappes d'eau.

Notre planète bleue a tout le confort nécessaire,

et progressivement la vie se développe, se complexifie,
se diversifie sous l'eau, où elle est protégée des rayons
stérilisants et des bombardements de météorites. Les cellules
se reproduisent, se multiplient et construisent des organismes
de plus en plus sophistiqués d'abord dans l'eau, puis... eurêka !
De petites algues bleues recrachent de l'oxygène qui monte,
monte dans l'atmosphère.

Disposant en prime de l'eau courante,

avec son atmosphère devenue respirable la Terre est maintenant
parfaitement vivable. Des plantes vertes commencent à pousser
sur son sol, puis des animaux sortent doucement la tête de l'eau.
Au début, ils retournent régulièrement chez leur vieille mer.
Ils logent à proximité et reviennent pondre leurs œufs dans l'eau.

Pour héberger des espèces vivantes,

indépendantes et capables de vivre n'importe où,
il faut quelques adaptations. L'évolution se poursuit,
et la vie prend toutes les formes, occupe tous les terrains
accessibles. Elle se développe dans les coins les plus reculés,
supporte le froid dur et les grosses chaleurs.

De la minuscule bactérie aux baobabs géants,
tous les organismes sont constitués de carbone, d'azote, d'oxygène, et
tous ont besoin d'un minimum d'eau pour vivre.

En passant par le kangourou, le chien, le serpent,
chacun a sa niche, autrement dit un endroit où il trouve les conditions
et la nourriture qui lui conviennent. Le Soleil fournit la lumière
et le chauffage. Sans notre bonne étoile, la vie serait tout simplement
impossible.

Tout le monde y trouve son contentement,
même si certains animaux vivent dans le noir complet au fond
des océans ou dans une chaleur extrême au milieu du désert.

Mais on ne s'explique pas comment les êtres vivants ont
réussi à se diversifier à ce point, à traverser toutes les étapes pour passer,
en quelques milliards d'années, de la simple cellule à l'être humain.

Les vivants ont pu évoluer cependant dans
des conditions bien particulières qui n'existent que sur notre planète,
en tout cas dans notre Système solaire, et nous ne savons toujours pas
si la vie existe ailleurs, sous une autre étoile. On découvre sans cesse
de nouvelles planètes, mais aucune ne répond aux critères.

La vie sur la Terre est la seule que nous connaissons jusqu'à présent. Avec nos instruments actuels, les planètes qui pourraient permettre la vie sont indétectables. Celles que l'on observe paraissent beaucoup trop grosses ou beaucoup trop chaudes pour être accueillantes.

C'est un vrai mystère qui préoccupe les chercheurs : **y a-t-il d'autres vies ailleurs ?**

Comment la vie est-elle apparue sur la Terre ?
Le mystère est presque entier. On ne sait pas comment des molécules ont bien pu s'organiser pour donner des cellules vivantes.
Comment ont-elles réussi à acquérir ces étonnantes propriétés qui leur ont donné la capacité de se reproduire (et pas à l'identique), de se déplacer, de se stabiliser à une certaine température et d'évoluer en s'associant ?
Toutes les formes de vie que nous connaissons ont besoin d'eau, mais connaissons-nous toutes les formes de vie ? Avec un seul exemple sous les yeux, nous ne pouvons pas tirer de conclusions définitives. Les questions pour lesquelles nous n'avons pas de réponses satisfaisantes ne doivent pas donner naissance à des certitudes mais à de nouvelles recherches. Dans le long livre de la vie, il te reste beaucoup de chapitres à écrire... ◆

IMPRIM'VERT®

La pâte à papier utilisée pour la fabrication
du papier de cet ouvrage provient
de forêts certifiées et gérées durablement.
Imprimé en France par Loire Offset Titoulet à Saint-Étienne
N° d'édition : 090670-01 - N° d'impression : 2013051395
Dépôt légal : juin 2013